Sotterranei
65

Ani DiFranco
self evident.
poesie e disegni

a cura di Martina Testa

© minimum fax, 2004
Per le poesie e i disegni: © Ani DiFranco, 2004
Tutti i diritti riservati

Edizioni minimum fax
piazzale di Ponte Milvio, 28 – 00191 Roma
tel. 06.3336545 / 06.3336553 – fax 06.3336385
www.minimumfax.com
info@minimumfax.com

I edizione: febbraio 2004
ISBN 88-87765-87-1

La traduttrice desidera ringraziare Ani DiFranco e Scot Fisher
per la loro preziosa collaborazione.

Per ulteriori informazioni su Ani DiFranco:
Righteous Babe Records, P.O. Box 95,
Ellicott Station, Buffalo, NY 14205.
www.righteousbabe.com

ANI DIFRANCO

SELF EVIDENT
POESIE E DISEGNI

a cura di
MARTINA TESTA

for Scot Fisher

per Scot Fisher

AUTHOR'S NOTE

It pleases me that my first ever book of poetry should be released in Italy, a country that I love. And through a cool indie publishing house, no less!

I would like to thank Martina for the long arduous hours of translation, a process that I found fascinating, and which proved to be a crash course in Italian language and expression for me. Had Marco and Martina not sought me out and been immensely patient over the last year and a half, this book would not exist, nor would a handful of the poems in it. This project has inspired me to set the guitar down and write poems again.

Maybe someday I will be able to write poems in Italian, and spare Martina the task of rounding off all those hard consonants.

peace,

ani

NOTA DELL'AUTRICE

Mi fa piacere che il mio primo libro di poesia venga pubblicato in Italia, un paese che amo. E nientemeno che da una bella casa editrice indipendente!

Vorrei ringraziare Martina per le lunghe e ardue ore di traduzione, un processo che trovo affascinante e che si è rivelato per me un corso intensivo di lessico e stile della lingua italiana. Se Marco e Martina non mi fossero venuti a stanare e non avessero dimostrato un'infinita pazienza nell'ultimo anno e mezzo, questo libro non esisterebbe, come non esisterebbero alcune delle poesie che contiene. Questo progetto mi ha fatto venire voglia di posare la chitarra e ricominciare a scrivere poesie.

Forse un giorno sarò capace di scriverle direttamente in italiano, risparmiando a Martina il compito di addolcire tutte quelle consonanti dure.

pace,

ani

7

SELF EVIDENT

MY IQ

when i was 4 years old
they tried to test my i.q.
they showed me this picture
of three oranges and a pear
they asked me which one is different
and does not belong?
they taught me different
is wrong

but when i was 13 years old
i woke up one morning
thighs covered in blood
like a war
like a warning
that i live in a breakable takeable body
an ever-increasingly valuable body
that a woman had come in the night
to replace me
deface me

see, my body is borrowed
i got it on loan
for the time in between
my mom and some maggots
i don't need anyone to hold me
i can hold my own
i got highways for stretchmarks
see where i've grown?

IL MIO QI

quando avevo 4 anni
hanno provato a misurarmi il QI
mi hanno dato una figura
con tre arance e una pera
mi hanno chiesto qual è diverso,
qual è scompagnato?
mi hanno insegnato che diverso
vuol dire sbagliato

ma quando avevo 13 anni
una mattina mi sono svegliata
con le cosce coperte di sangue
come un combattimento
come un avvertimento
che vivo in un corpo vulnerabile, espugnabile
in un corpo dal valore ogni giorno più inestimabile
che una donna era venuta di notte
a rimpiazzarmi
a sfigurarmi

ecco, il mio corpo non mi appartiene
sì, l'ho solo preso in prestito
per il tempo che passa fra
mia mamma e qualche verme
non mi serve nessuno che mi tenga per mano
so tenermi forte senza aiuto
le mie smagliature sono le autostrade
vedi dov'è che sono cresciuta?

and i sing sometimes
like my life is at stake
cuz you're only as loud
as the noises you make
i'm learning how to laugh
as hard as i can listen
cuz silence is violence
in women and poor people
if more people were screaming
then i could relax
but a good brain ain't diddly
if you don't have the facts
we live in a breakable takeable world
an ever available possible world
and we can make music
like we can make do
genius is in a backbeat
backseat to nothing if you're dancing
especially something stupid
like i.q.
for every lie i unlearn
i learn something new
and i sing sometimes
for the war that i fight
cuz every tool is a weapon
if you hold it right

e certe volte canto
come se la mia stessa vita fosse in gioco
perché non ti sente nessuno
se di rumore ne fai troppo poco
sto imparando a ridere
con la stessa forza con cui ascolto
perché il silenzio è violenza
per i poveri e le donne
se più gente stesse urlando
mi potrei calmare
ma un buon cervello non vale un accidente
se non hai i dati di fatto su cui pensare
viviamo in un mondo vulnerabile, espugnabile,
in un mondo possibile sempre disponibile
e possiamo fare musica
o buon viso a cattivo gioco
il genio sta in un ritmo che batte in controtempo
che batte ogni altra cosa se lo balli
specie una cosa stupida
come il QI
per ogni menzogna che disimparo
imparo qualcosa di nuovo
e certe volte canto
per la guerra in cui sono impegnata
perché ogni strumento è un'arma
se lo impugni in maniera appropriata

COMING UP

our father who art in a penthouse
sits in his 37th floor suite
and swivels to gaze down
at the city he made me in
he allows me to stand and
sollicit graffiti
until he needs the land i stand on

i in my darkened threshold
am pawing through my pockets
the receipts, the bus schedules
the matchbook phone numbers
the urgent napkin poems
all of which laundering has rendered
pulpy and strange
loose change and a key
ask me
go ahead,
ask me if i care
i got the answer here
i wrote it down somewhere
i just gotta find it

and somebody and their spray paint
got too close
somebody came on too heavy
now look at me made ugly
by the drooling letters
i was better off alone

VENIAMO SU

padre nostro che sei nell'attico
che siedi nella tua suite al 37simo piano
e ti volti a guardare dall'alto
la città in cui mi hai creato
mi permetti di starmene lì a
mendicare graffiti
finché non ti serve la terra che ho sotto i piedi

io sulla mia soglia annerita
mi frugo nelle tasche
le ricevute, gli orari degli autobus,
i numeri di telefono sulle scatole di fiammiferi
le irrefrenabili poesie sui tovaglioli di carta
tutta roba che la lavatrice ha trasformato
in una poltiglia strana
qualche spicciolo e una chiave
chiedimi
su, avanti,
chiedimi se me ne importa qualcosa
ce l'ho la risposta
me la sono scritta da qualche parte
tutto sta a trovarla

e qualcuno con una bomboletta di vernice
mi è venuto troppo vicino
qualcuno ci è andato troppo pesante
ora guarda come mi hanno ridotta
queste lettere sgocciolanti
stavo meglio per conto mio

ain't that the way it is
they don't know the first thing
but you don't know that
til they take the first swing
my fingers are red and swollen
from the cold
i'm getting bold in my old age
so go ahead
try the door
it doesn't matter anymore
i know the weak hearted
are strong willed
and we are being kept alive
until we're killed
he's up there
the ice is clinking in his glass
he sends me little pieces of paper
i don't ask
i just empty my pockets and wait
it's not fate
it's just circumstance
i don't fool myself with romance
i just live
phone number to phone number
dusting them against my thighs
in the warmth of my pockets
which whisper history incessantly
asking me
where were you?

è sempre così, no?
quelli di te non capiscono un cazzo
ma tu non lo sai
fino al primo cazzotto
ho le dita rosse e gonfie
per il freddo
più invecchio e più prendo coraggio
perciò avanti
prova ad aprire la porta
non ha più importanza
so che i deboli di cuore
hanno forza di volontà
e chi ci tiene in vita
prima o poi ci ammazzerà
lui se ne sta lassù
col ghiaccio che tintinna nel bicchiere
e mi manda giù dei foglietti
che io non chiedo
mi svuoto solo le tasche e aspetto
non è il destino
è solo un casuale meccanismo
non mi inganno col romanticismo
io vivo soltanto
da un numero di telefono all'altro
spolverandomeli contro le cosce
dentro il caldo delle tasche
che sussurranno incessantemente la storia
chiedendomi
e tu dov'eri?

i lower my eyes
wishing i could cry more
and care less, yes it's true
i was trying to love someone again
i was caught caring, bearing weight
i love this city, this state
this country is too large
and whoever's in charge up there
had better take the elevator down
and put more than change in our cup
or else we
are coming
up

abbasso gli occhi
vorrei saper piangere di più
e prendermela di meno, sì è vero
stavo cercando di innamorarmi ancora
mi hanno beccata ad affezionarmi, a portare il peso
adoro questa città, questo stato
questa nazione è troppo grande
e chiunque sia che comanda lassù in cima
è meglio che prenda l'ascensore e scenda in strada
e invece degli spiccioli ci dia qualcosa di più
altrimenti noi
veniamo
su

LITERAL

when they said he could walk on water
what it sounds like to me
is he could float like a butterfly
and sting like a bee
literal people are scary, man
literal people scare me
out there trying to rid the world
of its poetry
while getting it wrong fundamentally
down at the church of "look,
it says right here, see!"

ALLA LETTERA

quando dicevano che sapeva camminare sulle acque
secondo me era un po' come dire
che sapeva danzare come una farfalla
e pungere come un'ape[1]
la gente che prende le cose alla lettera fa paura, amico mio,
la gente che prende le cose alla lettera mi mette paura
è lì che cerca di ripulire il mondo
dalla sua poesia
e intanto prende fondamentali cantonate
inginocchiandosi all'altare del "guardate,
lo dice proprio qui, vedete!"

1. È la famosa frase con cui amava definirsi il pugile Muhammad Ali. *[n.d.t.]*

TAMBURITZA LINGUA

a cold and porcelain lonely
in an old new york hotel
a stranger to a city
that she used to know so well
bathing in a bathroom
that is bathed in the first blue light
of the beginning of a century
at the end of an endless night

then she is wet behind the ears and wafting down the avenue
pre-rush hour
post-rain shower
stillness seeping upwards like steam
from another molten sewer
summer in new york

they've been spraying us with chemicals in our sleep
us / they
something about the mosquitoes having some kind of disease
them / me
CIA foul play
if you ask the guy selling hair dryers out of a gym bag
chemical warfare
"i'm telling you, lab rat to lab rat" he says
"that's where the truth is at"
that's where the truth is at

TAMBURITZA LINGUA

solitudine fredda di porcellana
in un vecchio albergo newyorkese
forestiera nella città
che un tempo era come il suo paese
si fa il bagno in un bagno
bagnato dalle prime luci azzurrine
dell'inizio di un secolo
alla fine di una notte senza fine

poi bagnata dietro le orecchie cammina leggera lungo il viale
prima dell'ora di punta
dopo lo scroscio di pioggia
l'immobilità sale su come il vapore
dell'ennesimo tombino fuso
estate a new york

ci hanno spruzzato di sostanze chimiche nel sonno
noi / loro
c'era di mezzo il fatto che le zanzare portavano non so quale
                                                    [malattia
loro / io
la CIA con qualche porcheria
se lo chiedi al tizio che vende asciugacapelli da un borsone
                                                    [da palestra
la guerra chimica
"da cavia a cavia, diciamola tutta", fa,
"ecco cosa c'è sotto"
ecco cosa c'è sotto

and everything seems to have gone terribly wrong that can
but one breath at a time is an acceptable plan
she tells herself
and the air is still there
and this morning it's even breathable
and for a second the relief is unbelievable
she's a heavy sack of flour sifted
her burden lifted
she's full of clean wind for one lean moment and then
she's trapped again
reverted
caged and contorted
with no way to get free
and she's getting plenty of little kisses
but nobody's slippin' her the key

her whole life is a long list of what ifs
and she doesn't even know where to begin
and the pageantry of suffering therein
rivals television
tv is, after all, the modern day roman coliseum
human devastation as mass entertainment
and now millions sit jeering
collectively cheering
the bloodthirsty hierarchy of the patriarchal arrangement

e tutto quello che poteva andare mostruosamente a rotoli
[ci è andato
ma un respiro alla volta non è un progetto esagerato
dice lei fra sé e sé
e l'aria è ancora lì
e stamattina è quasi respirabile
e per un attimo il sollievo è incredibile
si sente come un sacco gonfio di farina passato al setaccio
un peso in meno fra le braccia
per un attimo sottile è piena di vento pulito e poi
di nuovo in trappola
regredita
ingabbiata e contorta
senza possibilità di evasione
la gente le dà un sacco di bacini
ma la chiave non gliela passa nessuno[2]

tutta la sua vita è un lungo elenco di ipotesi mancate
e non sa neppure da dove cominciare
e lo spettacolo di sofferenza che la accompagna
sfida la televisione
la tv, dopotutto, è il colosseo dei tempi moderni
devastazione umana come divertimento universale
milioni di persone ora sedute a sghignazzare
e collettivamente a celebrare
la gerarchia assetata di sangue della struttura patriarcale

2. Il riferimento è al celebre illusionista Houdini, che prima di iniziare i numeri in cui si liberava "magicamente" da gabbie e catene, era solito dare un bacio alla moglie, che gli passava con la bocca la chiave. *[n.d.t.]*

she is hailing a cab
she is sailing down the avenue
she's 19 going on 30
or maybe she's really 30 now...
it's hard to say
it's hard to keep up with time
once it's on its way

and, y'know, she never had much of a chance
born into a family built like an avalanche
and somewhere in the 80s between the oat bran and the ozone
she started to figure on things like
why
one eye pointed upwards looking for the holes in the sky
one eye on the little flashing red light
a picasso face twisted and listing down the canvas
of the end of an endless night

tennineeightsevensixfivefour three two   one
and kerplooey
you're done
you're done for
you're done for good
so tell me
did you
did you do
did you do all you could?

ora lei ferma un taxi
e scorre veloce lungo il viale
ha diciannove anni e va per i trenta,
o forse ormai ne ha trenta davvero...
difficile dirlo
difficile star dietro al tempo
una volta che si è messo in cammino

e sapete com'è, non ha mai avuto grandi speranze
nata in una famiglia costruita come una valanga
e a un certo punto degli Ottanta tra il boom della crusca
                              [e il buco nell'ozono
ha cominciato a capire cose tipo
il perché
con un occhio puntato in alto in cerca di buchi nel cielo
e un occhio sulla lucina rossa lampeggiante
una faccia da picasso contorta e cascante dalla tela
alla fine di una notte senza fine

diecinoveottosetteseicinquequattro tre due   uno
e badabum
sei fatta
sei finita
sei finita per sempre
e allora dimmi
hai
hai fatto
hai fatto tutto quello che potevi?

NOT SO SOFT

in a forest of stone
underneath the corporate canopy
where the sun
rarely
filters
down
the ground
is not so soft
not so soft

they build buildings
to house people making money
or they build buildings
to make money off housing people
it's true
like a lot of things are true
i am foraging for a phone booth
on the forest floor
that is not so soft
i look up
it looks like
the buildings are burning
but it's just the sun
setting in the windows
the solar system calling an end
to another business day
eternally circling
signaling the rythmic clicking
on and off of computers

MICA TANTO SOFFICE

in una foresta di pietra
sotto la volta di giungla delle multinazionali
dove il sole
filtra
solo
di rado
il suolo
non è mica tanto soffice
mica tanto soffice

costruiscono palazzi
dove abita la gente che fa i soldi
oppure costruiscono palazzi
per fare soldi sulla gente che ci abita
è vero
come sono vere un sacco di altre cose
sto rovistando in cerca di una cabina del telefono
sul suolo della foresta
che non è mica tanto soffice
alzo gli occhi
sembra che
i palazzi stiano andando a fuoco
ma è soltanto il sole
che tramonta sulle finestre
il sistema solare che decreta la fine
di un'altra giornata di lavoro
nel suo ciclo eterno
che dà il via al ritmico
accendersi e spegnersi dei computer

the pulse
of the american machine
the pulse
that draws death dancing
out of anonymous side streets
the ones that always get dumped on
and never get plowed
it draws death dancing
out of little countries
with funny languages
where the ground is getting harder
and it was
not
that
soft
before

and those who call the shots
are never in the line of fire
why?
where there's life for hire
out there
if a flag of truth were raised
we could watch every liar
rise to wave it
here we learn america like a script
playwright
birthright
same thing
we bring
ourselves to the role

il pulsare
della macchina americana
il pulsare
che fa avanzare la morte a passo di danza
da anonime stradine laterali
quelle che vengono sempre sommerse
e mai spalate
fa avanzare la morte a passo di danza
da piccole nazioni
con lingue bizzarre
dove il suolo diventa sempre più duro
e non era
mica
tanto
soffice
già prima

e quelli che ordinano di sparare
non sono mai esposti al fuoco
perché?
quando la vita si compra per poco
là fuori
se si potesse issare una bandiera della verità
vedremmo tutti i bugiardi
alzarsi in piedi a sventolarla
qui impariamo l'america come un copione
sceneggiatura
diritto di primogenitura
non distinguiamo
ci caliamo
nella parte

we're all rehearsing for the presidency
i always wanted to be
commander in chief
of my one
woman
army

but i can envision the mediocrity
of my finest hour
it's the failed america in me
it's the fear
that lives
in a forest of stone
underneath the corporate canopy
where the sun
rarely
filters
down
and the ground
is not so soft

ci stiamo tutti preparando per la presidenza
io ho sempre voluto diventare
comandante in capo
del mio esercito
di una sola
donna

ma so immaginare la mediocrità
della mia ora di gloria
è l'america fallita che ho dentro
è la paura
che vive
in una foresta di pietra
sotto la volta di giungla delle multinazionali
dove il sole
filtra
solo
di rado
e il suolo
non è mica tanto soffice

THE SLANT

the slant
a building settling
around me my
figure female
framed crookedly
in the threshold
of the room
door scraping floorboards
with every opening carving
a rough history
of bedroom scenes
the plot
hard to follow
the text
obscured
in the folds of sheets slowly
gathering the stains of seasons
spent lying there
red and brown
like leaves fallen
the colors of an eternal cycle
fading with the wash cycle
and the rinse cycle
again an un-
familiar smell
like my name misspelled
or misspoken
a cycle broken

L'INCLINAZIONE

l'inclinazione
un palazzo che si assesta
tutto intorno a me alla mia
figura di femmina
incorniciata sghemba
sulla soglia
della stanza
porta che gratta le assi per terra
e che a ogni apertura
incide una storia scheggiata
di scene in camera da letto
la trama
difficile da seguire
il testo
oscurato
nelle pieghe delle lenzuola che lentamente
stese lì stagione su stagione
raccolgono un raccolto di macchie
rosse e brune
come foglie cadute
i colori di un ciclo eterno
che sbiadiscono col ciclo del lavaggio
e il ciclo del risciacquo
ancora un odore non
familiare
come il mio nome scritto male
o mal pronunciato
un ciclo spezzato

the sound
of them strong stalking
talking about their prey
like the way
hammer meets nail
pounding
they say
pounding
out the rhythms
of attraction
like a woman
was a drum
like a body
was a weapon
like there was something
more they wanted
than the journey
like it was owed to them
steel toed they walk
and i'm wondering
why this fear of men?
maybe it's 'cuz i'm hungry
and like a baby
i'm dependent on them
to feed me
i am a work in progress
dressed in the fabric
of a world unfolding
offering me intricate
patterns of questions
rhythms that never come clean

il suono
dei loro discorsi robusti e rapaci
in cui parlano della preda
con la protervia
del martello che sbatte sul chiodo
sbattere
dicono
battendo
i ritmi
dell'attrazione
come se una donna
fosse un tamburo
come se il corpo
fosse un'arma
come se ci fosse qualcosa di più
che vogliono
oltre al viaggio
come se gli fosse dovuto
camminano con i piedi corazzati
e io mi chiedo
perché questa paura degli uomini?
forse perché ho fame
e come una bambina
dipendo da loro
che mi imboccano
sono un *work in progress*
vestito del tessuto
di un mondo che si spiega
offrendomi intricati
schemi di domande
ritmi su cui resta la sporcizia

and strengths
that you still
haven't seen

e forze
che non avete
ancora visto

SELF EVIDENT

yes,
us people are just poems
we're 90% metaphor
with a leanness of meaning
approaching hyper-distillation
and once upon a time
we were moonshine
rushing down the throat of a giraffe
yes, down the long hall
despite what the p.a. announcement says
yes, down the long hall
down the long stairs
with the whiskey of eternity
fermented and distilled
to eighteen minutes
burning down our throats
down the hall
down the stairs
in a building so tall
that it will always be there
yes, it's part of a pair
there on the bow of noah's ark
the most prestigious couple
just kickin back parked
against a perfectly blue sky
on a morning beatific
in its indian summer breeze
on the day that america
fell to its knees

EVIDENTE

sì
noi esseri umani siamo solo poesie
siamo al 90% metafore
con una sottigliezza di significato
che si avvicina all'iperdistillazione
e una volta tanto tempo fa
siamo stati un fiume di liquore
che correva giù per la gola di una giraffa
sì, giù per quel lungo corridoio
nonostante i messaggi degli altoparlanti
sì, giù per quel lungo corridoio
giù per le lunghe scale
con il whisky dell'eternità
fermentato e distillato
fino a diciotto minuti
che ci bruciava in gola
giù per il corridoio
giù per le scale
in un palazzo così alto
che esisterà per sempre
sì, fa parte di una coppia
lì sulla prua dell'arca di noè
la coppia più prestigiosa
che si rilassa parcheggiata
contro un cielo perfettamente azzurro
in una mattina beata
cullata dall'ultima brezza dell'estate
il giorno che l'america
cadde in ginocchio in poche ore

after strutting around for a century
without saying thank you
or please

and the shock was subsonic
and the smoke was deafening
between the setup
and the punch line
cuz we were all on time
for work that day
we all boarded that plane for to fly
and then while the fires were raging
we all climbed up on the windowsill
and then we all held hands
and jumped into the sky

and every borough looked up
when it heard the first blast
and then every dumb action movie
was summarily surpassed
and the exodus uptown by foot and motorcar
looked more like war
than anything i've seen so far
so far

so far

so fierce
and ingenious
a poetic specter so far gone
that every jackass newscaster was struck dumb and stumbling

dopo aver camminato impettita per cent'anni
senza mai dire grazie
o per favore

e lo shock è stato subsonico
e il fumo è stato assordante
fra la costruzione della storia
e la battuta finale
perché quel giorno siamo arrivati
tutti in orario al lavoro
tutti abbiamo preso quell'aereo per volare
e poi mentre le fiamme infuriavano
siamo saliti tutti sul davanzale
e tutti ci siamo presi per mano
prima di saltare nel cielo

e tutti i quartieri hanno alzato gli occhi
quando hanno sentito il primo boato
e poi ogni stupido film d'azione
è stato sommariamente superato
e l'esodo a piedi e in macchina verso uptown
somigliava alla guerra
più di qualunque cosa io abbia visto finora
finora

finora

così feroce
e ingegnoso
uno spettro poetico talmente allucinante
che ogni giornalista idiota del tg è rimasto muto e balbettante

over "oh my god" and "this is unbelievable" and on and on
and i'll tell you what, while we're at it
you can keep the pentagon
keep the propaganda
keep each and every tv
that's been trying to convince me
to participate
in some prep school punk's plan to perpetuate
retribution
perpetuate retribution
even as the blue toxic smoke of our lesson in retribution
is still hanging in the air
and there's ash on our shoes
and there's ash in our hair
and there's a fine silt on every mantle
from hell's kitchen to brooklyn
and the streets are full of stories
sudden twists and near misses
and soon every open bar is crammed to the rafters
with tales of narrowly averted disasters
and the whiskey is flowin
like never before
as all over the country
folks just shake their heads
and pour

so here's a toast to all the folks who live in palestine
afghanistan
iraq
el salvador

fra gli "oh mio dio" e i "non ci posso credere" e così via
e voglio dirvi una cosa, già che ci siamo
potete tenervelo il pentagono
tenetevi la propaganda
tenetevi tutte quante le tv
che cercano da sempre di convincermi
a partecipare
a un progetto da prepotenti di prima elementare per perpetuare
la vendetta
perpetuare la vendetta
perfino mentre il fumo tossico e azzurro della nostra lezione
[di vendetta
aleggia ancora fra gli uccelli
e abbiamo la cenere sulle scarpe
e abbiamo la cenere fra i capelli
e c'è un sottile strato di terra su ogni mensola
da hell's kitchen a brooklyn
e le strade sono piene di storie
svolte improvvise e scarti infinitesimali
e presto ogni bar aperto è zeppo fino al soffitto
di racconti di catastrofi scampate per un soffio
e il whisky scorre
come mai avrebbe fatto ieri
e in tutto il paese
la gente scuote la testa
e riempie i bicchieri

salute a tutta la gente che vive in palestina
in afghanistan
in iraq
a el salvador

here's a toast to the folks living on the pine ridge reservation
under the stone cold gaze of mt. rushmore
here's a toast to all those nurses and doctors
who daily provide women with a choice
who stand down a threat the size of oklahoma city
just to listen to a young woman's voice
here's a toast to all the folks on death row right now
awaiting the executioner's guillotine
who are shackled there with dread
and can only escape into their heads
to find peace
in the form
of a dream

yes, take away our playstations
and we are a third world nation
under the thumb of some blue blood royal son
who stole the oval office and that phony election
i mean
it don't take a weatherman
to look around and see the weather
jeb said he'd deliver florida, folks

salute alla gente che vive nella riserva di pine ridge
sotto il freddo sguardo di pietra di mount rushmore[4]
salute a tutte quelle infermiere e quei dottori
che ogni giorno offrono alle donne una scelta
che sfidano una minaccia grossa come oklahoma city[5]
solo per ascoltare una voce di ragazza
salute a chi è nel braccio della morte in questo istante
ad aspettare la ghigliottina del boia
chi è incatenato al terrore
e può fuggire solo nella propria mente
per trovare la pace
sotto forma
di un sogno

sì, toglieteci le playstation
e diventiamo un paese del terzo mondo
sotto il controllo del rampollo di una famiglia reale
che con un'elezione truccata si è fregato la stanza ovale
insomma
non ci vuole un meteorologo
per guardarsi intorno e vedere che tempo fa
jeb[5] aveva promesso di dare la florida al fratello, gente,

4. È la famosa montagna, sacra ai nativi americani, su cui sono scolpiti i volti di quattro presidenti degli Stati Uniti. *[n.d.t.]*

5. Nel 1995 una bomba distrusse un edificio federale di Oklahoma City, causando la morte di 168 persone; un gesto di terrorismo interno che resta una delle pagine più tragiche della storia recente degli Stati Uniti. *[n.d.t.]*

6. John Ellis "Jeb" Bush, fratello dell'attuale presidente George W. Bush, è il governatore della Florida dal 1998 ed è stato rieletto nel 2003 per un secondo mandato. Le elezioni presidenziali del 2000 in Florida, decisive per la vittoria di George W., sono state aspramente accusate di regolarità e brogli. *[n.d.t.]*

and boy did he ever
and we hold these truths to be self evident:

1. george w. bush is not president
2. america is not a true democracy
3. the media is not fooling me

cuz i am a poem heeding hyper-distillation
i've got no room for a lie so verbose
i'm looking out over my whole human family
and i'm raising my glass in a toast

here's to our last drink of fossil fuels
let us vow to get off of this sauce
shoo away the swarms of commuter planes
and find that train ticket we lost
cuz once upon a time the line followed the river
and peeked into all the backyards
and the laundry was waving
the graffiti was teasing us
from brick walls and bridges
we were rolling over ridges
through valleys
under stars
i dream of touring like duke ellington
in my own railroad car
i dream of waiting on the tall blonde wooden benches
in a grand station aglow with grace
and then standing out on the platform
and feeling the air on my face

give back the night its distant whistle

e c'è riuscito eccome
e a noi sembra che queste verità siano evidenti:

1. george w. bush non è il presidente
2. l'america non è una vera democrazia
3. i media non mi incantano con le loro bugie

perché sono una poesia attenta all'iperdistillazione
e non ho spazio per una menzogna così verbosa
abbraccio con gli occhi tutta la mia famiglia umana
e sollevo il bicchiere per brindare

alla salute del nostro ultimo sorso di combustibili fossili
giuriamo di farci passare questo vizio
di scacciare gli sciami di aerei da pendolari
e ritrovare il biglietto del treno che abbiamo perso
perché tanto tempo fa la ferrovia seguiva il fiume
e sbirciava in tutti i cortili
il bucato ci salutava
e dai muri di mattoni e dai ponti
ci prendevano in giro i graffiti
scavalcavamo le creste dei monti
attraversavamo le valli
sotto il cielo stellato
ora sogno di viaggiare come duke ellington
nel mio vagone privato
sogno di aspettare sulle alte panche di legno biondo
di una sontuosa stazione splendente di grazia
e poi di uscire sui binari
e sentire l'aria che mi accarezza la faccia

ridate alla notte il suo fischio lontano

give the darkness back its soul
give the big oil companies the finger finally
and relearn how to rock-n-roll
yes, the lessons are all around us and a change is waiting there
so it's time to pick through the rubble, clean the streets
and clear the air
get our government to pull its big dick out the sand
of someone else's desert
put it back in its pants
quit the adversarial stance
quit the hypocritical chants
of freedom forever!

cuz when one lone phone rang
in two thousand and one
at ten after nine
on nine one one
which is the number we all called
when that lone phone rang right off the wall
right off our desk and down the long hall
down the long stairs
in a building so tall
that the whole world turned
just to watch it fall

ridate alle tenebre la loro anima
mandate le grandi compagnie petrolifere affanculo
[una buona volta
e reimparate il ritmo delle rotaie
sì, le lezioni sono tutto intorno a noi e il cambiamento è lì
[che ci aspetta
è ora di scavare fra le macerie, pulire le strade
e purificare l'aria infetta
e costringere il nostro governo a levare il suo lungo cazzo
[dalla sabbia
del deserto altrui
e a rificcarselo dentro le mutande
a piantarla con la posa arrogante dell'indignazione
con l'ipocrisia salmodiante delle proclamazioni
di eterna libertà!

perché quando un unico e solo telefono ha squillato
nel duemila e uno
alle nove e dieci
dell'undici settembre
nove undici è stato il numero che tutti abbiamo chiamato[7]
quando quell'unico e solo telefono ha squillato dal muro
dalla nostra scrivania e giù per il lungo corridoio
giù per le lunghe scale
di un palazzo dall'altezza tale
che tutto il mondo si è voltato
solo per guardarlo crollare

7. Negli Stati Uniti, la data 11 settembre si indica come 9/11 e il 911 è il numero telefonico del pronto intervento. *[n.d.t.]*

and while we're at it
remember the first time around?
the bomb?
the ryder truck?
the parking garage?
the princess that didn't even feel the pea?
remember joking around in our apartment on avenue D?

"can you imagine how many paper coffee cups
would have to change their design
following a fantastical reversal of the new york skyline?!"

it was a joke, of course
it was a joke
at the time
and that was just a few years ago
so let the record show
that the FBI was all over that case
that the plot was obvious and in everybody's face
and scoping that scene
religiously
the CIA
or is it KGB?
committing countless crimes against humanity
with this kind of eventuality

e già che ci siamo
ve la ricordate la prima volta?
la bomba?
il camion della ryder?
il parcheggio sotterraneo?[8]
la principessa che il pisello neanche lo sentì?
vi ricordate quanto ci abbiamo scherzato a casa nostra
[su avenue D?

"ti immagini su quanti bicchieri di plastica
il disegno andrebbe cambiato
per riprodurre lo skyline di new york assurdamente alterato?!"

era una battuta, certo
era una battuta
all'epoca
ed erano solo pochi anni fa
perciò lasciate parlare i documenti che dicono
che l'FBI quel caso ce l'aveva in pugno
che la trama era evidente e sotto gli occhi di tutti
e a esaminare la scena del crimine
religiosamente
c'era la CIA
– o si chiama KGB? –
intenta a commettere incommensurabili crimini contro l'umanità
accampando questo genere di eventualità

8. Il 26 febbraio 1993 una bomba nascosta in un camion noleggiato presso la ditta di autotrasporti Ryder esplose in un parcheggio sotterraneo del World Trade Center di New York: questo primo attentato terroristico alle Twin Towers causò sei morti e un migliaio di feriti. *[n.d.t.]*

as its excuse
for abuse after expensive abuse
and they didn't have a clue
look, another window to see through
way up here
on the 104th floor
look
another key
another door
10% literal
90% metaphor
3000 some poems disguised as people
on an almost too perfect day
should be more than pawns
in king george's passion play
so now it's your job
and it's my job
to make it that way
to make sure they didn't die
in vain
sshhhhhh....
listen
hear the train?

come scusa
per la costosissima serie dei suoi abusi
e non sono venuti a capo di niente
ecco un'altra finestra da cui guardare, trasparente,
lassù in alto
al 104esimo piano
ecco
un'altra chiave
un'altra porta a portata di mano
10% letterale
90% metafora
3000 e rotte poesie mascherate da persone
in una giornata quasi troppo perfetta
dovrebbero essere più che semplici pedine
di re george nella sua sacra rappresentazione
e allora adesso è compito vostro
ed è compito mio
fare in modo che sia così
fare in modo che non siano morte
invano
sshhhh...
attenzione
lo sentite il treno?

GRAND CANYON

i love my country
by which i mean
i am indebted joyfully
to all the people throughout its history
who have fought the government to make right
where so many cunning sons and daughters
our foremothers and forefathers
came singing through slaughter
came through hell and high water
so that we could stand here
and behold breathlessly the sight
how a raging river of tears
cut a grand canyon of light

yes, i've bin so many places
flown through vast empty spaces
with stewardesses whose hands
look much older than their faces
i've tossed so many napkins
into that big hole in the sky
bin at the bottom of the atlantic
seething in a two-ply
looking up through all that water
and the fishes swimming by
and i don't always feel lucky
but i'm smart enough to try
cuz humility has buoyancy
and above us only sky
so i lean in...

GRAND CANYON

io amo il mio paese
e con questo intendo dire
che sono gioiosamente in debito
verso tutta la gente che nel corso della sua storia
ha combattuto il governo per fare giustizia
dove tanti delle sue figlie e dei suoi figli più astuti
nostre antenate, nostri antenati,
sono sopravvissuti alle stragi cantando
sono discesi all'inferno e ritorno
perché noi qui potessimo fermarci
e goderci senza fiato la scena
di un fiume di lacrime in piena
che scava un grand canyon di luce

sì, sono stata in tanti posti diversi
ho sorvolato enormi spazi deserti
insieme a hostess che sulle mani
avevano molti più anni che sul viso
ho gettato chissà quante salviette
dentro quel grande buco nel cielo
sono stata sul fondo dell'atlantico
a fremere in un sacchetto di plastica nero
con gli occhi in su in mezzo a tutta quell'acqua
a guardare i pesci passare
e non mi sento sempre fortunata
ma sono abbastanza furba da tentare
perché l'umiltà ti tiene a galla
e sopra di noi c'è solo il cielo
perciò io mi inchino...

breathe deeper that brutal burning smell
that surrounds the smoldering wreckage
that i've come to love so well
yes—color me stunned and dazzled
by all the red white and blue flashing lights
in the american intersection
where black crashed head on with white
comes a melody
comes a rhythm
a particular resonance
that is us and only us
comes a screaming ambulance
a hand that you can trust
laid steady on your chest
working for the better good
(which is good at its best)
and too—bearing witness
like a woman bears a child:
with all her might

born of the greatest pain
into a grand canyon of light

i mean no song has gone unsung here
and this joint is strung crazy tight
and people bin raising up their voices
since it just ain't bin right
with all the righteous rage
and all the bitter spite
that will accompany us out
of this long night

a inalare più da vicino quell'odore brutale e bruciante
che circonda il relitto fumante
a cui ho imparato a volere un gran bene
sì, immaginatemi pure stordita e abbagliata
da tutte le luci rosse bianche e blu lampeggianti
in mezzo a quell'incrocio americano
dove il nero ha fatto uno scontro frontale col bianco
ecco una melodia
ecco un ritmo
una particolare risonanza
che siamo noi e soltanto noi
ecco le urla di un'ambulanza
una mano di cui ti puoi fidare
posata ferma sul tuo petto
a lavorare per un bene superiore
(che non è altro che il bene al suo meglio)
e insieme a dare testimonianza
come una donna dà alla luce un figlio:
cioè con tutta la sua potenza

dal dolore più atroce
si nasce a un grand canyon di luce

insomma, qui non c'è canzone che non sia stata cantata
e questo posto è su di giri, folle, eccitato
e la gente ha iniziato ad alzare la voce
perché come vanno le cose non gli piace
con tutta la rabbia giusta
e tutto l'amaro rancore
che da questa lunga notte
ci condurranno fuori

that will grab us by the hand
when we are ready to take flight
seatback and traytable
in the upright and locked position
shocked to tears by each new vision
of all that my ancestors have done
like, say, the women who gave their lives
so that i could have one
people, we are standing at ground zero
of the feminist revolution!
yeah it was an inside job, stoic and sly
one we're supposed to forget
and downplay and deny
but i think the time is nothing if not nigh
to let the truth out
the coolest f-word ever
deserves a fucking shout!
i mean, why can't all decent men and women
call themselves feminists?
out of respect
for those who fought
for this
i mean, look around
we have this

yes
i love my country
by which i mean
i am indebted joyfully
to all the people throughout its history
who have fought the government to make right

che ci prenderanno per mano
quando saremo pronti a decollare
con il tavolinetto e lo schienale
ben fissi in posizione verticale
e io sconvolta fino alle lacrime a ogni nuova visione
di tutto quello che hanno fatto i miei antenati
come, per dire, le donne che hanno dato la vita
perché io potessi averne una
miei cari, ci troviamo al ground zero
della rivoluzione femminista!
sì, è stato un lavoro da infiltrate, stoico e scaltro
che vorrebbero farci dimenticare
ridimensionare, negare,
ma credo che non ci sia momento migliore
perché la verità venga fuori
l'-ismo più fico che c'è in circolazione
si merita una cazzo di ovazione!
perché, dico io, tutte le persone oneste
non dovrebbero definirsi femministe?
per rispetto
verso chi ha lottato
per questo
voglio dire, guardiamoci intorno
abbiamo tutto questo

sì
io amo il mio paese
e con questo intendo dire
che sono gioiosamente in debito
verso tutta la gente che nel corso della sua storia
ha combattuto il governo per fare giustizia

where so many cunning sons and daughters
our foremothers and forefathers
came singing through slaughter
came through hell and high water
so that we could stand here
and behold breathlessly the sight
how a raging river of tears
is cutting a grand canyon of light

dove tanti delle sue figlie e dei suoi figli più astuti
nostre antenate, nostri antenati,
sono sopravvissuti alle stragi cantando
sono discesi all'inferno e ritorno
perché noi qui potessimo fermarci
e goderci senza fiato la scena
di un fiume di lacrime in piena
che scava un grand canyon di luce

CLIP CLOP CLACK

a girl with the sun of her youth at her back
and the shadow of her womanhood
before her on the stones
is approaching with a delicate
clip clop clack
her sandals full of toes
that i suppose
are headed home

it's early in the evening
and up and down the river
people begin to gather
pearls of laughter
on a strand
i thought solitude would save me
it was pious
it was grand
but the monk that walked beside me
just let go of my hand

CLIP CLOP CLAC

una ragazza con il sole della gioventù alle spalle
e l'ombra della maturità
davanti a lei sul selciato
si avvicina con un delicato
clip clop clac
i sandali pieni di dita
che immagino
dirette a casa

è appena scesa la sera
e su e giù lungo il fiume
la gente comincia a radunarsi
perle di risate
lungo un filo
credevo che la solitudine mi avrebbe salvata
era ipocrita
era sovrumana
ma il monaco che mi camminava accanto
ha appena smesso di tenermi per mano

1.

earth moving down into night
like it too was his slow whisper

1.

la terra che scende verso la notte
come se anche il crepuscolo fosse il suo lento respiro

2.

swallow my tongue
thick into wishing
and give at my kiss
what pleasure you please

2.

inghiotti la mia lingua
spessa di speranza
e al mio bacio offrimi
il piacere che più ti piace

3.

make like some anonymous need
came on down there too fast again
and be it love or just this dance
only yes would satisfy

3.

fa' conto che qualche anonimo desiderio
si sia rifatto vivo laggiù troppo in fretta
e che sia amore o soltanto questo ballo
solo un sì potrebbe soddisfarlo

4.

oh, great stroke of bare emotional night and unbelievable suck!
i should remember him
as if i don't

4.

ah, che gran colpo di pura emozione notturna e incredibile

[schifo!

dovrei ricordarmi di lui
e come no

PULSE

you crawled into my bed that night
like some sort of giant insect
and i found myself spellbound
at the sight of you
beautiful and grotesque
and all the rest
of that bug stuff
bluffing your way into my mouth
behind my teeth
reaching for my scars
that night we got kicked out of two bars
and laughed our way home

that night you leaned over
and threw up into your hair
and i held you there thinking
i would offer you my pulse
if i thought it would be useful
i would give you my breath
except the problem with death
is we have some hundred years
and then they can build buildings
on our only bones
a hundred years
and your grave is not your own

we lie in out beds
and our graves
unable to save ourselves

PULSARE

quella sera ti sei intrufolato nel mio letto
come una specie di insetto gigante
e mi sono ritrovata incantata
a fissarti
bellissimo e grottesco
e tutto il resto delle cose
che può essere un insetto
ti sei infilato a tradimento nella mia bocca
dietro i denti
cercando di arrivare alle cicatrici
quella sera ci hanno cacciato a calci da due locali
e siamo tornati a casa ridendo

quella sera ti sei piegato in due
e ti sei vomitato nei capelli
e io ti sorreggevo e pensavo
ti offrirei il pulsare del mio cuore
se pensassi che ti potesse servire
ti donerei il mio respiro
solo che il problema della morte
è che abbiamo un centinaio d'anni
e poi sulle nostre ossa
possono costruirci i palazzi
cento anni
e la tua tomba non è davvero tua

siamo stesi a letto
o nella tomba
incapaci di salvarci

from the quaint tragedies we invent
and then undo
from the stupid circumstances
we slalom through

i realized that night
that the hall light
which seemed so bright
when you turned it on
is nothing
compared to the dawn
which is nothing
compared to the light
which seeps from me while you're sleeping
cocooned in my room
beautiful and grotesque, resting
that night we got kicked out of two bars
and laughed our way home

i thought:
i would offer you my pulse
i would give you my breath
i would offer you my pulse...

dalle graziose tragediole che inventiamo
e disfiamo
dalle circostanze stupide
fra cui zigzaghiamo

quella sera mi sono accorta
che la luce del corridoio
che mi è sembrata così forte
quando l'hai accesa
non è niente
in confronto a quella dell'alba
che non è niente
in confronto a quella
che emano io mentre tu dormi
nel tuo bozzolo nella mia stanza
bellissimo e grottesco, e riposi
quella sera ci hanno cacciato a calci da due locali
e siamo tornati a casa ridendo

e pensavo:
ti offrirei il pulsare del mio cuore
ti offrirei il mio respiro
ti offrirei il pulsare del mio cuore...

PLATFORMS

life knocked me off my platforms
so i pulled out my first pair of boots
bought on the street at astor place
before new york was run by suits
and i suited up for the long walk
back to myself
closer to the ground now
and sorrow
and stealth

SCARPE CON LA ZEPPA

la vita mi ha buttato giù dalle scarpe con la zeppa
e così ho tirato fuori il mio primo paio di anfibi
comprati per la strada ad astor place
quando new york non era ancora gestita da giacche doppiopetto
e ho preso di petto il lungo viaggio
di ritorno verso me stessa
stavolta sfiorando più da vicino il suolo
e il dolore
e la furtività

SERPENTINE

pavlov hits me with more bad news
every time i answer the phone
so i play and i sing and i just let it ring
all day when i'm at home
a defacto choice of macro
or microcosmic melancholy
but, baby, any way you slice it
i'm thinkin i could just as soon use the time alone

yes, the goons have gone global
and the CEOs are shredding files
and the democrins and the republicrats
are flashing their toothy smiles
and uncle tom is posing for a photo op
with the oval office clan
and uncle sam is rigging cockfights
in the promised land
and that knife you stuck in my back is still there
it pinches a little when i sigh and moan
and these days i'm thinkin i could just as soon use
the time alone

cuz all the wrong people have the power
of suggestion
and the freedom of the press is meaningless
if nobody asks a question
i mean, causation by definition
is such a complex compilation of factors
that to even try to say why

SPIRE DI SERPENTE

pavlov mi scaraventa addosso altre brutte notizie
ogni volta che alzo il telefono e rispondo
e allora quando sto a casa suono e canto
e lo lascio squillare tutto il giorno
una scelta di fatto tra malinconia macro-
e microcosmica
tesoro, mettila un po' come ti pare,
ma sto pensando che il tempo mi farebbe bene passarlo da sola

sì, i picchiatori si sono globalizzati
e i capi d'azienda distruggono i documenti
e i democrani e i repubblicratici
sfoderano sorrisi a trentadue denti
e lo zio tom si mette in posa per una foto di scena
con il clan della stanza ovale
mentre lo zio sam nella terra promessa
organizza lotte di galli truccate
e quel coltello che mi hai conficcato nella schiena è ancora lì
mi pizzica un po' quando gemo e sospiro
e ultimamente sto pensando che il tempo
mi farebbe bene passarlo da sola

perché tutta la gente sbagliata ha il potere
di fare proposte
e la libertà di stampa non ha senso
se nessuno cerca risposte
insomma, la casualità è per definizione
una compilazione tanto complessa di fattori
che qualunque tentativo di spiegare

is to oversimplify
but that's a far cry, isn't it dear?
from acting like you're the only one there
unrepentantly self-centered and unfair
enter all suckers scrambling for the scoop
exit mr. eye contact
who took his flirt and flew the coop
but whatever
no matter
no fishin trips
no fishin
mamma's officially out of commission
and did i mention
in there
somewhere
did i mention
somewhere
in there
that i traded babe ruth?
yes, i traded the only player that was bigger than the game
and i can't even tell you why
cuz you'd think i'm insane
and that's the truth

the music industry mafia is pimping girl power
sniping off sharpshooter singles from their styrofoam towers
and hip hop is tied up in the back room
with a logo stuffed in his mouth
cuz the master's tools will never dismantle the master's house

equivale subito a semplificare
ma da qui ce ne corre, non ti pare?,
a comportarsi come se al mondo fossi l'unico protagonista
impunito, sleale ed egoista
ecco a voi tutti i coglioni che cercano il colpaccio
esce di scena mister flirta-con-gli-occhi
che ha preso il suo fascino e ha alzato i tacchi
ma sia come sia
poco importa
niente gite di pesca
niente pesci all'amo, punto e basta,
la mamma è stata dichiarata ufficialmente guasta
e ve l'ho detto
da qualche parte
a un certo punto
ve l'ho detto
a un certo punto
da qualche parte
che ho ceduto babe ruth?
sì, ho ceduto l'unico giocatore che era più grande del gioco
e non posso neanche darvi la spiegazione
perché pensereste che sono matta
e avreste ragione

la mafia del music business spaccia la grinta delle belle figliole
sparando singoli con precisione da cecchino dalle sue torri
                                        [di polistirolo
e l'hip hop è legato come un salame nello sgabuzzino
con un logo ficcato fra i denti
perché la casa del padrone non si smantella mai con i suoi
                                        [stessi strumenti

but then
i'm getting away from myself
as i get closer and closer
to home
and the difference between
you and me baby
is i get fucked up when i'm alone

and i must admit
today my inner pessimist
seems to have got the best of me
we start out sugared up on kool-aid and manifest destiny
and we memorize all the presidents' names
like little trained monkeys
then we're spit into the world
so many spinny-eyed t.v. junkies
incapable of unravelling the military industrial mystery
preemptively pacified with history book history
and i've been around the world now
and i can see this about america:
the mind control is steep here, man
the myopia is deep here

behold
those that try to expose the reality
who really try to realize democracy
are shot with rubber bullets and gassed off the streets
while the global power brokers are kept clean and discreet
behind a wall

ma fatto sta
che mi allontano sempre più da me stessa
a mano a mano che mi avvicino
a casa
e la differenza
fra me e te, tesoro,
è che io divento un casino quando resto da sola

e devo ammettere
che oggi la pessimista che è in me
sembra aver preso il controllo
ci tirano su fin da bambini a bibite zuccherate e destino segnato
impariamo a memoria i nomi dei presidenti
come scimmiette ammaestrate
e poi ci sputano dentro il mondo
con gli occhi roteanti da teledrogati
incapaci di sciogliere il mistero dell'industria militare
preventivamente pacificati con la storia dei libri di storia
e adesso che ho girato il mondo
riesco a vedere questo dell'america
che qui il controllo psicologico è altissimo, amico mio,
e profondissima è la miopia

guarda
a chi tenta di far sì che la realtà sia chiara
a chi tenta di realizzare la democrazia reale
sparano coi proiettili di gomma e i lacrimogeni fanno piazza
                                                    [pulita
mentre i mediatori delle potenze globali rimangono incolumi
                                              [e discreti
dietro un muro

behind a moat
and that is all
that's all she wrote

my heart beats an s s s *o o o* s s s
cuz folks just really couldn't care care care less less less
as long as every day is superbowl sunday
and larger than life women in lingerie
are pouting at us from every bus stop
shelovesme shelovesmenot shelovesme shelovesmenot...

"big government should not stand between a man
    and his money"
"what's good for business is good for the country"

our children still take that lie like communion
the same old line the confederacy used on the union

conjugate liberty
into libertarian
and medicate it
associate it
with deregulation
privatization
we won't even know we're slaves
on a corporate plantation
somebody say allelujah!
somebody say damnation!
cuz the profit system follows the path of least resistance
and the path of least resistance
is what makes the river crooked

dietro un fossato
e questo è tutto
e quel che è stato è stato

il mio cuore batte un s s s *o* *o* *o* s s s
perché la gente se ne fotte di t-t-tutto e di t-t-tutti
basta che ogni giorno sia l'ultima domenica di campionato
e smisurate femmine in reggiseno
ci guardino ammiccando da ogni fermata
mama non mama mama non mama...

"lo stato non deve intromettersi fra l'individuo e il suo denaro"
"il bene dell'economia è il bene del paese"

i nostri figli ingoiano ancora questa bugia come la comunione
lo stesso vecchio slogan dei confederati contro l'unione

declinate la libertà
fino al liberismo
e disinfettatela
associatela
con la deregulation
la privatizzazione
non ci accorgeremo nemmeno di essere schiavi
di una multinazionale piantagione
qualcuno gridi alleluia!
qualcuno gridi dannazione!
perché il sistema del profitto segue la strada che offre meno
                                        [resistenza
e la strada che offre meno resistenza
è quella che rende il fiume tortuoso

makes it serpentine
capitalism is the devil's wet dream

so just give me my judy garland drugs
and let me get back to work
cuz the empire state building
is the tallest building in new york
and i always got the feeling
you just liked to hear it fall
off your tongue
but i remember my name
in your mouth
and i don't think i was done
hearing it close to my ear
on a whisper's way to a moan
but pavlov hits me with more bad news
every time i answer the phone
so i play and sing and i just let it ring
all day when i'm at home
a defacto choice of macro
or microcosmic melancholy
but baby, any way you slice it
i'm thinkin i could just as soon use
the time alone

simile alle spire di un serpente
il capitalismo è il sogno bagnato del demonio

e allora datemi le mie droghe da stakanovista
e lasciatemi rimettere al lavoro
perché ora è l'empire state building
il palazzo più alto di new york
e ho sempre avuto l'impressione
che ti piacesse sentirlo cadere
dalla tua lingua
però ricordo il suono del mio nome
nella tua bocca
e non ero ancora stanca
di sentirmelo vicino all'orecchio
in un sussurro che diventa lamento
ma pavlov mi scaraventa addosso altre brutte notizie
ogni volta che alzo il telefono e rispondo
e allora quando sto a casa suono e canto
e lo lascio squillare tutto il giorno
una scelta di fatto tra malinconia macro-
e microcosmica
tesoro, mettila un po' come ti pare,
ma sto pensando che il tempo mi farebbe bene
passarlo da sola

AKIMBO

what dreams cause me
to abandon my pillow each night?
push away each of them, in fact
since there always seems
to be more than one

then wake to aching
stiff neck twisted tits and face
smashed against the mattress
legs and arms akimbo
like the high pitched body of a jumper
waiting for her chalk outline
finally at rest

SCOMPOSTA

quali sogni mi costringono
ad abbandonare ogni notte il cuscino?
anzi, a sbatterli via uno per uno, i cuscini
dato che sembra sempre
che ce ne siano parecchi

e poi mi risveglio con la nuca
rigida e dolorante le tette sformate e la faccia
schiacciata contro il materasso
gambe e braccia tese e aperte
come il corpo di un'atleta al culmine del salto
che aspetta la sagoma disegnata col gesso,
finalmente il riposo

PARAMETERS

33 years go by
and not once do you come home
to find a man sitting in your bedroom
that is
a man you don't know
who came a long way to deliver
one very specific message:

lock your back door
you idiot
however invincible
you imagine yourself to be
you are wrong

33 years go by
and you loosen the momentum
of teenage nightmares
your breasts hang like a woman's
and you don't jump at shadows anymore

instead you may simply pause to admire
those that move with the grace of trees
dancing past streetlights

and you walk through your house
without turning on lamps
sure of the angle
from door to table
from table to staircase

PARAMETRI

passano 33 anni
e neanche una volta torni a casa
e trovi un uomo seduto in camera da letto
cioè
un uomo che non conosci
venuto da lontano a consegnare
un messaggio ben preciso:

chiudi a chiave la porta sul retro
deficiente
per quanto invincibile
tu ti possa sentire
ti sbagli

passano 33 anni
e rallenti lo slancio
degli incubi da ragazzina
i seni pesano come quelli di una donna
e le ombre non ti fanno sobbalzare

ti capita invece di fermarti ad ammirare
quelle che ondeggiano con la grazia degli alberi
che danzano sotto i lampioni

e cammini per la casa
senza accendere le luci
sicura dell'angolo
fra la porta e il tavolo
fra il tavolo e le scale

sure of the number of steps
seven to the landing
two to turn right
then seven more
sure that you will float serenely
on the moving walkway of memory
across your bedroom
and collapse with a sigh
onto your bed
shoes falling
thunk thunk
onto the floor
and there will be no strange man
suddenly all that time sitting there
sitting there on what must be the prize chair
in your collection of uncomfortable chairs
with a wild look in his eyes
and hands that you cannot see
holding what, you do not know

so sure are you
of the endless drumming rhythm of your isolation
that you are painfully slow to adjust
if only because
yours is not that genre of story

still and again
life cannot muster the stuff of movies

no bullets shattering glass
instead fear sits patiently

sicura del numero dei passi
sette fino al pianerottolo
due per girare a destra
e poi sette ancora
sicura che scorrerai serenamente
sul tapis roulant della memoria
da una parte all'altra della stanza
e crollerai con un sospiro
sul tuo letto
mentre le scarpe cadono
tunc tunc
sul pavimento
e non ci sarà nessun estraneo
all'improvviso seduto lì da chissà quanto
seduto su quella che di certo tocca il fondo
nella tua collezione delle sedie più scomode del mondo
con uno sguardo folle negli occhi
e mani che non riesci a vedere
che tengono che cosa, non lo sai

tanto sei sicura
dell'infinito ritmo di tamburo del tuo isolamento
che sei penosamente lenta ad adeguarti
se non altro perché
il tuo non è quel genere di storia

ma invariabilmente
la vita non sa dimostrarsi all'altezza dei film

niente pallottole a infrangere i vetri
la paura al contrario sta seduta con pazienza

fear almost smiles
when you finally see him
though you have kept him waiting
for 33 years
and now he has let himself in
and brought you fistfuls of teenage nightmares

though you think you see, in your naiveté
that he is empty handed
and this brings you great relief
at the time

new as you are, really
to the idea that
even after you've long since gotten used to the parameters
they can all change
while you're out one night
having a drink with a friend
some big hand may be
turning a big dial
switching channels on your dreams
until you find yourself lost in them
and watching your daily life
with the sound off

and of course having cautiously turned down the flame
under your eyes
there are more shadows around everything
the gloomy looming kind
your vision a dim flashlight
that you have to shake all the way to the outhouse

la paura quasi ti sorride
quando alla fine te la vedi davanti
anche se l'hai fatta aspettare
per 33 anni
adesso è entrata in casa con quest'uomo
e ti ha portato manciate di incubi da ragazzina

anche se ti pare di vedere, nella tua ingenuità
che lui in mano non ha niente
e questo ti procura un gran sollievo
in quel momento

impreparata come sei, davvero
all'idea che
anche quando ti sei abituata da anni ai parametri
quelli possano tutti cambiare
mentre una sera sei fuori
a berti una cosa con un amico
può darsi che una grossa mano
stia girando una grossa manopola
cambiando canale ai tuoi sogni
finché non ti ci ritrovi persa dentro
a guardare la tua vita quotidiana
con l'audio spento

e chiaramente avendo per prudenza abbassato il fuoco
che hai sotto gli occhi
ci sono più ombre intorno a tutto
ombre di quelle lugubri e incombenti
e la tua vista è una torcia con la batteria mezza andata
che devi portarti tremante fino al gabinetto esterno

your solitude elevating itself
like the spirit of the dead presiding
over your supposed repose
not really asleep at all
just a sleeping position and a series of suspicious sounds
a clanking pipe
a creaking branch
the footfalls of a cat

all of this and maybe
the swish of the soft leather
of your intruder's coat
as you walk him step by step
back to the door
having talked him down
off the ledge of a very bad idea
soft leather, big feet, almond eyes
the kind of details
the police officer would ask for later
with his clipboard
and his pistol
in your hallway

e la tua solitudine si leva
come lo spirito dei morti che presiede
al tuo presunto riposo
che in realtà non è sonno affatto
ma una posizione da dormiente e una serie di suoni sospetti
un tubo che sferraglia
un ramo che scricchiola
i passi di un gatto

tutto questo e forse
il fruscio della pelle morbida
del cappotto del tuo intruso
mentre lo accompagni passo passo
di nuovo alla porta
dopo averlo convinto a non saltare
dal cornicione di una pessima idea
pelle morbida, piedi lunghi, occhi a mandorla
il tipo di dettagli
che ti chiederà più tardi il poliziotto
con il verbale
e la pistola
nel tuo salotto

THE TRUE STORY OF WHAT WAS

the light blue flickering rhythm
of the neighbor's big console t.v.
is basking on the ceiling
of another insomniac spree
and outside sleep's open window
between the drops of rain
history is writing a recipe book
for every earthly pain

oh to clean up the clutter of echoes
coming in and out of focus
words spoken
like locusts
sing and sing
in my head

and thing is
they often seem
in my memory's long dream
to be superfluous to
the true story of what was

cuz

real is real regardless
of what you try to say
or say away
real is real relentless
while words distract and dismay

LA VERA STORIA DI CIÒ CHE È STATO

il ritmo sfarfallante e azzurrino
del grosso mobile-tv del vicino
sta danzando sul soffitto
di un'altra notte in cui l'insonnia fa bisboccia
e fuori dalla finestra aperta del sonno
fra una goccia e l'altra di pioggia
la storia scrive un libro di ricette
per ogni dolore sulla faccia della terra

ah, ripulire lo strepitio degli echi
per un attimo distinti e poi sfocati
parole pronunciate
come cicale
che cantano e cantano
nella mia testa

e il fatto è
che spesso mi sembra
nel lungo sogno della mia memoria
che non siano necessarie per
la vera storia di ciò che è stato

perché

il reale è reale nonostante
quello che cerchi di dire
(o di non dire) a parole
il reale è reale senza requie
ma le parole fanno distrarre e disperare

words that change their tune
though the story remains the same
words that fill me quickly
and then are slow to drain
dialogues that dither down reminiscent
of the way it likes to rain
every screen
a smoke screen
oh to dream
just for a moment
the picture
outside the frame

then in a flash
the light blue horizon
spanning a sudden black
is sucked into the vanishing point
and quiet rushes back
to search for the downbeat
in a tabla symphony
to search in the darkness
for someone who looks like me

(though i'm not really who i said i was
or who i thought i'd be)

just a collection of recollections
conversations consisting
of the kind of marks we make
when we're trying to get a pen to work again...

parole che cambiano registro
benché la storia rimanga la stessa
parole che mi riempiono in fretta
ma sono lente a scorrere via
dialoghi che scendono tremanti e ricordano
il modo in cui piace cadere alla pioggia
ogni schermo
una cortina di fumo
ah, sognare
per un istante solo
l'immagine
fuori dall'inquadratura

poi in un lampo
l'orizzonte azzurrino
che attraversa un nero improvviso
è risucchiato verso il punto di fuga
e il silenzio torna di corsa
a cercare la prima battuta
in una sinfonia di tablas
a cercare nell'oscurità
qualcuno che assomiglia a me

(benché io non sia davvero chi ho detto di essere
o chi pensavo sarei stata)

solo una raccolta di ricordi
conversazioni che consistono
del genere di segni che facciamo
quando cerchiamo di far tornare a scrivere una penna...

a lifetime of them!

cough... cough... ahem...

i say to me
now here listening
i say to the locusts
that sing and sing to me sitting
now here on the front porch swing of my eyes
i hereby amend
whatever I've ever said
with this sigh

così per una vita intera!

koff... koff... ehm...

dico a me stessa
che ora qui sto ad ascoltare
dico alle cicale
che cantano e cantano per me seduta
ora qui sulla veranda dei miei occhi a dondolare
con la presente correggo
tutto ciò che ho mai detto
con questo sospiro

THE INTERVIEW

how can one speak on
the role of politics in art
when art is
activism

and anyway
both are just a lifelong light
shining through a swinging prism

L'INTERVISTA

come si fa a parlare
del ruolo della politica nell'arte
quando l'arte è
attivismo

e comunque
tutte e due sono soltanto una luce che per tutta la vita
splende attraverso un prisma che dondola avanti e indietro

A LECHEROUS LOVE OF LANGUAGE
A CONVERSATION WITH ANI DIFRANCO

Maybe it is bad form, but I'd like to start this interview mentioning another singer-songwriter. His name is Francesco De Gregori and he's widely famous in Italy (even if he's virtually unknown abroad); he writes marvellous lyrics, rich and intense and vaguely cryptic, but every time the critics call him a "poet", he gets very uneasy and insists that his job is songwriting, not poetry, and that the two fields are different. Do you feel that way, too? "Poet" traditionally indicates a higher cultural status than "songwriter"; De Gregori, on the other hand, is probably claiming a very precise value and dignity to songwriting as an art of its own. Any thoughts about this?

Though I've been writing longer without the guitar than with it, I hesitate to call myself a "poet" for fear of sounding pompous. This is unfortunate because, with more humble connotations, "poet" serves as a pretty accurate description of how I think and what I do. The line between songs and poems has always been blurry for me. If I had to describe a relationship between the two, I would say songwriting is one poetic form or one genre in the vast endeavor of poetry.

UN AMORE SFRENATO PER LE PAROLE
CONVERSAZIONE CON ANI DIFRANCO

Forse è un po' maleducato, ma vorrei cominciare questa intervista citando un altro cantautore. Si chiama Francesco De Gregori, è un nome molto noto al pubblico italiano (anche se praticamente sconosciuto all'estero); scrive testi molto belli, ricchi, intensi e vagamente sibillini, ma ogni volta che i critici lo definiscono "poeta" lui si infastidisce e sottolinea che il suo mestiere è quello di scrivere canzoni, non poesie, e che i due ambiti sono molto diversi. Tu sei d'accordo? Tradizionalmente, la "poesia" ha uno status culturale più alto della "canzone"; d'altra parte De Gregori vuole con ogni probabilità rivendicare un valore e una dignità molto precisi alla canzone come forma d'arte in sé. Che ne pensi?

Anche se ho cominciato a scrivere poesie molto prima di imbracciare la chitarra, esito un po' a definirmi una "poetessa", per paura di suonare presuntuosa. Ma è un peccato perché, se usato con una connotazione più umile del solito, il termine "poetessa" descrive piuttosto bene il mio modo di pensare e quello che faccio. La linea che separa le canzoni dalle poesie per me è sempre stata sfocata. Se dovessi descrivere la relazione che c'è fra le due cose, direi che la canzone è solo un tipo di forma poetica, o uno specifico genere all'interno del vasto ambito della poesia.

But really for me, it is more like they are one thing: a way of seeing. Involving endless meditations on the connections between things, a lot of squinting like a painter at the world's basic structure in order to distill and convey its most resonant nature... and always, always a googly-eyed lecherous love of language. Always that.

Do you write lyrics because you feel words are a necessary companion to your music? Or do you do it out of a specific interest in the crafting of words, verse, speech? If you were ever (I'm knocking on wood) to lose your voice once and for all, I can imagine you still going on stage and playing like crazy and having fun with your band; but what if you could not play guitar anymore? Would you still write poems if you had no music to play alongside them?

Art has always been my ticket to joy. Growing up in a family whose mouths were closed against their own struggles (where hidden wounds festered and flared without light or air), left me with a burning desire to express myself. I learned that to give voice to a feeling is to set it free from your mind. I explored many art forms along the way, from dancing in ballet and modern dance troupes as a teenager, to attending art school and painting as a young adult. But I parked here at the intersection of music and poetry simply because it is the most precise and effective way I have found to communicate. So, I suppose, if I could not write or play guitar or sing or dance or paint, I would just find some other way to let my spirit out of its cage.

Ma di fatto, per me, sono praticamente la stessa cosa: un modo di vedere il mondo. Che implica il fatto di meditare continuamente sulla relazione fra le cose, e di guardare la struttura basilare del mondo con l'occhio obliquo e penetrante di un pittore, in modo da distillare e comunicare la sua natura più risonante... e poi sempre, sempre, un amore per le parole sfrenato e pieno di stupore. Quello, sempre.

Scrivi testi per le tue canzoni perché credi che le parole siano un complemento necessario per la tua musica? O per un interesse specifico verso l'arte delle parole, dei versi, del discorso? Se (toccando ferro) dovessi perdere per sempre la voce, riesco comunque a immaginarti che sali sul palco a suonare a tutta forza e a divertirti con la tua band; ma se non potessi più suonare la chitarra? Scriveresti comunque poesie anche se non avessi della musica con cui accompagnarle?

L'arte è sempre stata il mio biglietto di ingresso per la gioia. Il fatto di essere cresciuta in una famiglia che affrontava le proprie difficoltà sempre a bocca chiusa (e dove le piaghe nascoste suppuravano e scoppiavano senza luce o aria), mi ha lasciato un ardente desiderio di esprimermi. Ho imparato che dare voce a un sentimento significa liberarlo dalla mente. Nel corso degli anni ho sperimentato diverse forme artistiche, dalla danza classica e moderna quando ero ragazzina alla scuola d'arte e alla pittura da maggiorenne. Ma alla fine ho parcheggiato qui all'incrocio fra la musica e la poesia semplicemente perché è il modo di comunicare più preciso ed efficace che ho trovato. Perciò, se non potessi più scrivere né suonare la chitarra né cantare né ballare né dipingere, troverei semplicemente qualche altro modo per far uscire il mio spirito dalla gabbia.

And, assuming that Ani the singer-songwriter turned into Ani the poet, would you be more interested in publishing books for people to read them, or in "performing" your poetry in front of a live audience? Are you interested in the "spoken word" scene, have you ever seen or participated into a "poetry slam"?

I am a person who lives in the moment, so live performance has my heart, and I imagine it always will. The page is my workshop. There is a lot I write into my poems, rhythmically and melodically, that is meant to be performed, which I fear is rendered inert on paper. I don't know. Maybe these are poems here in this book, or maybe they are merely transcripts of a show that is happening elsewhere.

Ok. A little jump back into the past, now. You were nineteen when you published your first album. Do you think your song-writing has changed much, since then? Are you more/less interested in some particular themes? Do you find writing easier/more difficult? Texts in this book span your whole career: re-reading them, do you feel the girl who wrote "The Slant" is the same woman who has just written "Serpentine"?

The 18-year-old who wrote "The Slant" is long gone, but that poem has aged on my tongue like wine, becoming deeper and more complex. It is strange to say, but I think even more than my work has grown, I have grown within it, so that now when I perform an old poem like "The Slant", I can say more with it than I could when I wrote it.

*E se Ani la cantautrice si trasformasse in Ani la poetessa
tout court, preferiresti scrivere per un pubblico di lettori, o te-
nere performance poetiche di fronte a un pubblico dal vivo? Ti
interessa la scena della cosiddetta "spoken word", hai mai as-
sistito o partecipato a un "poetry slam"?*

Sono una persona che vive nel momento presente, perciò la
performance dal vivo è e sarà sempre quella che amo di più. La
pagina è il mio laboratorio. Molto di quello che inserisco nelle
mie poesie, a livello di ritmo e melodia, è scritto nell'ottica di
una successiva esibizione dal vivo, e per questo ho paura che
sulla carta rimanga un po' inerte. Non lo so. Forse quelle che
avete appena letto sono poesie, o forse solo la trascrizione di
uno spettacolo che si sta svolgendo chissà dove.

*Ok. Un piccolo salto nel passato. Quando hai pubblicato il
primo album avevi diciannove anni: credi che il tuo modo di
scrivere sia cambiato molto, da allora? Ci sono dei temi che ti
interessano di più, o di meno? Scrivere ti viene più facile, o più
difficile? I testi raccolti in questo libro coprono tutto l'arco della tua carriera: rileggendoli, ti sembra che la ragazza che ha
scritto "L'inclinazione" sia la stessa donna che ha scritto pochi mesi fa "Serpentine"?*

La diciottenne che ha scritto "L'inclinazione" non esiste più
da molto tempo, ma quella poesia è invecchiata sulla mia lingua
come un buon vino, diventando più profonda e più complessa.
È una cosa strana da dire, ma credo che non sia stata tanto la mia
scrittura a crescere, quanto io a cresterci dentro: così adesso,
quando sul palco recito un vecchio brano come "L'inclinazione", con quella poesia riesco a dire di più di quando l'ho scritta.

Some of these poems (and on a larger scale some of your songs) are introspective and intimate, about love, relationships etc.; others are political, and very explicitly so. Do you perceive this difference as a deep and significant one (as some people apparently do: I have had the impression, during the years, that some hardcore fans of yours have sort of resented your getting less "angry", less "political", more "sentimental"), and do you deliberately choose one subject over the other each time? Or do you feel that writing about love or about politics are basically just two ways of talking about yourself and the stuff you're passionate about?

I write about that which captivates my heart and my imagination. My focus has always been partly on my female identity and the struggle to survive love and everyday gender dynamics, and partly on the big "P" politics of the society at large. In one sense, I am a woman trying to hammer out a space in the world to exist in, and in another sense I am a citizen, assimilated into a society that, because of my citizenship, is my responsibility.

My ongoing narrative about my relationships with other people (my "personal" songs), is part of the femininity of my work. Like many women, my attention is often focused on the emotional landscape of the people around me, and our interactions. These "personal" songs are also "political", however, as simply speaking from ones experience as a woman in a man's world is a political act. For a woman to speak up about even the most simple and intimate circumstances of her life is in some way an act of inclusion in a culture which does not often affirm or respect the sensibilities of women.

Alcune delle tue poesie (e più in generale alcune delle tue canzoni) sono introspettive e intimiste, parlano di amore, rapporti umani e così via; altre hanno un carattere esplicitamente politico. Tu questa la percepisci come una differenza profonda e significativa (come, a quanto pare, fa una parte del pubblico: ho avuto l'impressione che, negli anni, ad alcuni tuoi fan della prima ora abbia dato un po' fastidio il fatto che tu sia diventata meno "arrabbiata", meno "impegnata", più "romantica") e ogni volta scegli deliberatamente un tema piuttosto che l'altro? Oppure ti sembra che parlare d'amore o di politica in fondo siano solo due modi per parlare di te e delle tue passioni?

In quello che scrivo, parlo di quello che cattura il mio cuore e la mia fantasia. Mi sono sempre concentrata in parte sulla mia identità femminile e sulla lotta per sopravvivere all'amore e alle dinamiche dei rapporti quotidiani fra i sessi, in parte sulla politica con la P maiuscola della società nell'insieme. Da un lato sono una donna che cerca di ricavarsi un suo spazio dove esistere nel mondo, dall'altro sono una cittadina, faccio parte di una società di cui, proprio in virtù della mia cittadinanza, sono responsabile.

Il costante filone narrativo che riguarda i miei rapporti con le altre persone (quello delle canzoni "private", insomma) rientra nella sfera femminile della mia scrittura. Come succede a molte donne, spesso concentro l'attenzione sulla struttura emotiva della gente che mi circonda, e sulle nostre interazioni. Queste canzoni "private", però, sono al tempo stesso anche "politiche", perché il semplice fatto di parlare sulla base della propria esperienza di donna in un mondo di uomini è un gesto politico. Che una donna prenda la parola per raccontare anche le vicende più semplici e personali della sua vita è in un certo senso un atto di inclusione in una cultura che spesso non sostiene né rispetta la sensibilità delle donne.

I'd like to ask you about your writing process. How is an Ani DiFranco text born? Do words come before or after the music? Do you write on paper? Or type on a computer? Do you need to be alone and in silence, or can you basically write everywhere? And: once you have the words down, do you show them to someone and ask for suggestions? Do your lyrics change much, from their very creation to their ultimate form?

My favorite places to write are in a dressing room after a show, or at home at my kitchen table. Backstage in my dressing room, still pumped up from a performance, ideas often come to me. And later, in the solitude of my kitchen, I can rework and develop ideas for many uninterrupted hours. Incessant interruptions are part of a life of constant motion, however, and out of necessity I have learned to write in any circumstance, even surrounded by people socializing on a tour bus. Sometimes I bow out of a conversation to jot down an idea I know will be lost to me later. I work with pen and paper and usually have many pages of illegible, half scribbled-out chaos in my journals before a song or poem begins to take shape. All the editing, refining and reworking I generally do alone, without consulting anyone or asking for suggestions. Writing is such a personal and subjective process that I approach it on my own, sometimes creating a bubble of aloneness in the company of others.

Do you like reading, and do you have time to read, what with rehearsing, touring and stuff? Can you name some of your favourite authors? Do you often read poetry? If you should name some artists whose work has influenced and is currently

Vorrei chiederti come vivi il processo della scrittura. Come nascono i testi di Ani DiFranco? Le parole vengono prima o dopo la musica? Scrivi a penna o col computer? Hai bisogno di solitudine e silenzio o riesci a scrivere praticamente ovunque? E una volta che hai i versi nero su bianco, li fai vedere a qualcuno e chiedi consigli? I tuoi testi cambiano molto, dal momento della loro prima creazione alla forma definitiva?

I posti dove preferisco scrivere sono in camerino dopo i concerti, o a casa, sul tavolo della cucina. Nel backstage, quando sono ancora tutta adrenalinica dopo la fine dello spettacolo, spesso mi vengono delle idee. E poi, nella solitudine della mia cucina, posso rilavorarci sopra ed elaborarle per ore, senza interruzioni. Ma ovviamente le interruzioni continue sono parte integrante di una vita sempre in movimento come la mia, e così ho imparato per necessità a scrivere in ogni circostanza, anche avendo intorno gente che chiacchiera sul tour bus. A volte nel bel mezzo di una conversazione mi allontano per appuntarmi un'idea che poco dopo di sicuro mi sarebbe passata di mente. Lavoro con carta e penna e in genere ho sui miei diari pagine e pagine di caos illegibile e mezzo scarabocchiato prima che cominci a prendere forma una poesia o una canzone. Quanto all'editing, alla ripulitura e alla riscrittura, in genere me ne occupo da sola, senza consultare nessuno o chiedere consigli. La scrittura è un processo così personale e soggettivo che mi ci avvicino sempre per conto mio, a volte creandomi una bolla di solitudine anche se sono in compagnia di altri.

Ti piace leggere, e hai tempo per farlo, tra prove, tourneé e quant'altro? Puoi fare il nome di qualcuno dei tuoi autori preferiti? Leggi spesso poesia? Se dovessi nominare degli artisti che con la loro opera hanno influenzato e influenzano il tuo mo-

influencing the way you write, would there be poets and novel-
ists among them? Or are they basically other musicians and
songwriters?

I love reading. I love having a book to escape into, or to keep company with in times of loneliness. Mostly I read novels, but sometimes books of poetry, and these influence my work, as does everything I come into contact with. My favorite poets lately are two Americans, Tony Hoagland and Carolyn Forché. I find them both inspirational in their bravery, and graceful in their marriage of the personal and political. Conversely, the novelists that I find most inspiring seem to be those that are very poetic. Recently I have been very enamored with Amy Tan, Arundhati Roy, and Ann Patchett, though there have been many writers over the years who have inspired me.

Have you ever written prose, or would you be interested to?
What is it that attracts you to poetry? Its great capacity for
rhythm and sounds, its tendency to rely on juxtaposition and
metaphors rather than on straight storytelling?

Prose is very difficult for me to write. After years of writing poetry in long skinny columns, complete sentences elude me. Besides which, I like my language distilled. Words can be illuminating, but too many words can be blinding. I am attracted to poetry rather than prose not just for its potential musicality, but because every word has weight, and the process of distillation brings me closer to the essence of my truth.

Do you think there is something as a "female writing" as op-
posed to "male writing"? I'm not just talking about literature
or poetry by women which deals with woman issues, or feminist

do di scrivere, ci sarebbero fra loro dei poeti e degli scrittori? O sono sostanzialmente altri musicisti e cantautori?

Adoro leggere. Mi piace da morire avere un libro in cui rifugiarmi, o che mi faccia compagnia quando mi sento sola. Leggo soprattutto romanzi, ma a volte anche libri di poesia, e certo, influenzano la mia scrittura, come del resto tutto quello con cui entro in contatto. Ultimamente i miei poeti preferiti sono due americani, Tony Hoagland e Carolyn Forché. Trovo esemplare il loro coraggio, e la grazia con cui riescono a sposare la sfera personale e quella politica. E viceversa, i narratori che mi ispirano di più sembra che siano quelli molto vicini alla poesia. Recentemente ho amato molto Amy Tan, Arundhati Roy e Ann Patchett, anche se nel corso degli anni ci sono stati tanti altri autori che mi hanno influenzata.

Hai mai scritto in prosa, o ti interesserebbe provarci? Cos'è che ti attrae della poesia? La sua grande capacità ritmica e sonora, la sua tendenza a basarsi su giustapposizioni e metafore piuttosto che sulla narrazione diretta?

Trovo molto difficile scrivere in prosa. Dopo anni passati a scrivere lunghe colonne smilze di versi, i periodi completi non mi vengono più. E a parte questo, mi piace avere una lingua distillata. Le parole possono essere illuminanti, ma troppe parole possono accecare. Sono attratta dalla poesia piuttosto che dalla prosa non solo per il suo potenziale di musicalità, ma perché nella poesia ogni parola ha il suo peso, e questo processo di distillazione mi porta più vicina all'essenza della mia verità.

Credi che esista una "scrittura femminile" opposta alla "scrittura maschile"? Non parlo solo di autrici donne che affrontino temi legati alle donne, o della letteratura femminista.

literature/poetry. What I mean is, let's assume a man and a woman both write a poem about the same subject, about IQ, about summer in New York, about 9/11: do you think that there are some intrinsic gender-related qualities that make those two poems different? Or do you think that in matter of sheer creativity gender is irrelevant, and saying that "female writing" is more sentimental, sexier, less cerebral, you name it... than "male writing" is just a cliché? Do you think that a poem like "coming up" could have been written by a male writer, or a poem like "my IQ", with his first involuntary ejaculation at night substituting for your first menstruation?

I think there are absolutely such things as female writing and male writing, but I think it would be a mistake to assume that only women are capable of the former, and men the latter. In everything is a paradox, and I for instance am possessed of both feminine and masculine qualities. More important to the poem is the individual voice. Could a man have written "my IQ"? What man? How old is he? What is his race? His nationality? His class status? His education? All of these factors may be intrinsically different from my own, and would contribute to a different perspective.

You are an independent musician, with your own music company. In Italy you have an independent distributor, right? And now you are publishing a book with an independent publisher. What side you are on is pretty clear. You have become a real icon of indie musicianship! But my question is: how often are you tempted by the corporate power? How often do you have to make that choice all over again, how often do you happen to question your decision and wonder about those thousands of

Voglio dire: immaginiamo che un uomo e una donna scrivano una poesia sullo stesso argomento, per esempio il QI, o l'estate a New York o l'11 settembre: pensi che ci siano delle caratteristiche intrinseche legate all'appartenenza sessuale che rendono diverse le due poesie? O credi che in fatto di pura creatività le differenze di genere siano irrilevanti, e che dire che la "scrittura femminile" sia più romantica, più sensuale, meno cerebrale ecc. di quella "maschile" sia solo un cliché? Credi che un autore maschio avrebbe potuto scrivere una poesia come "venire su", o come "il mio QI", magari con la prima eiaculazione notturna al posto della prima mestruazione?

Sono assolutamente convinta che esistano una scrittura femminile e una scrittura maschile, ma credo che sarebbe un errore dare per scontato che solo le donne siano capaci della prima, e gli uomini della seconda. Tutta la realtà è fatta di paradossi, e io stessa, per esempio, possiedo sia qualità femminili che maschili. Quello che più conta in una poesia è la voce individuale. Un uomo avrebbe potuto scrivere "il mio QI"? Di che uomo parliamo? Quanti anni ha? Di che razza è? Di quale nazionalità? Di che classe sociale? Che studi ha fatto? Tutti questi fattori potrebbero essere intrinsecamente diversi dai miei e contrinuirebbero a fargli assumere una prospettiva diversa.

Sei una musicista indipendente e hai fondato una casa di produzione tutta tua. In Italia hai un distributore indipendente e ora pubblichi per una casa editrice indipendente. Da che parte stai è piuttosto chiaro. Negli anni sei diventata una vera e propria icona della musica indie! Ma quello che voglio chiederti è: quanto spesso ti capita di essere tentata dal potere delle major? Quanto volte devi rifare daccapo la tua scelta, mettere in discussione la tua decisione e pensare alle migliaia di

records you never sold (those thousands of copies your poetry book will never sell!), those millions of dollars you never made? Is staying away from the majors a choice you made once and for all, or a choice you keep struggling to be consistent with?

I do not dwell on the path I have not chosen, the theoretical path of fame and fortune I may have forfeited in order to be independent. Instead I focus on my actual purpose on the planet, which is to do my art in a socially conscious and ethical way. I have met many people on this path who share my ideals, and I don't regret a thing.

dischi che non hai venduto (alle migliaia di copie del tuo libro di poesia che non venderai!), ai milioni di dollari che non hai guadagnato? Essere un'artista indipendente è una scelta che hai fatto una volta per tutte o una scelta con cui devi sforzarti ogni giorno di restare coerente?

Non perdo tempo a pensare alla strada che non ho scelto, l'ipotetica strada della fama e del successo che forse ho abbandonato nel nome della mia indipendenza. Invece mi concentro sullo scopo reale della mia vita sulla terra, cioè praticare la mia arte in maniera socialmente e moralmente consapevole. Su questa strada ho incontrato tanta gente che condivide i miei ideali, e non rimpiango nulla.

INDICE

SOTTERRANEI

MINIMUM CLASSICS

1. John Barth **L'Opera Galleggiante**
2. Donald Barthelme **Ritorna, dottor Caligari**
3. Richard Yates **Revolutionary Road** introduzione di Richard Ford
4. John Barth **La fine della strada** prefazione di Simone Barillari
5. James Purdy **Malcolm** prefazione di Goffredo Fofi
6. Nelson Algren **Walk on the wild side** prefazione di Russell Banks
7. Mary Robison **Dimmi** prefazione di David Leavitt
8. Richard Yates **Disturbo della quiete pubblica** prefazione di A.M. Homes

NICHEL

stampato presso Graffiti srl – Pavona (Roma)
per conto delle edizioni minimum fax

ristampa   anno

10 9 8 7 6 5 4 3 2   2004 2005 2006 2007